新型コロナからインフルエンザまで

知ってふせごう! 身のまわりの感染症

監修：近藤慎太郎（内科医）

2 感染症をふせぐために

旬報社

はじめに

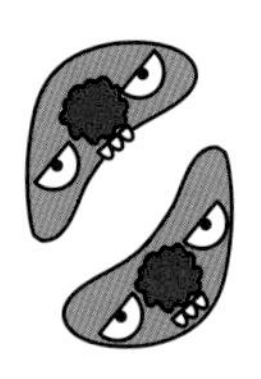

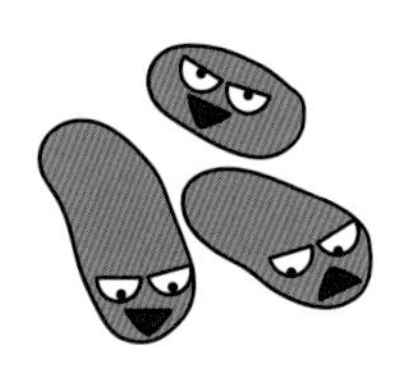

シリーズ「知ってふせごう! 身のまわりの感染症」について

「知ってふせごう! 身のまわりの感染症」は、新型コロナウイルス感染症の世界的な流行で特に注目されるようになった「感染症」について、「感染症とはなにか」「感染症をふせぐにはどうしたらよいのか」「感染症にはどんな種類があって、どのような歴史があるのか」を、イラストを多用してわかりやすく説明する全3巻のシリーズです。

少しでも楽しく読み進められるよう、イラストでは、人間に感染して健康や生命をおびやかす存在である「感染症の病原体」を、悪役キャラクターとして描いています。でも先に種明かしをしてしまうと、病原体はおそろしい存在ではありますが、「人間たちをやっつけてやろう」と考えて感染するわけではありません。病原体となる生物たち(その多くは目に見えない微生物です)が、意思を持っているわけではないからです。

病原体が人間に感染するのは、たまたま人間の体の中に入り込んだ小さな生物が増殖(増えること)して子孫を残すことができたため、人間の体に入り込む能力のある生物が生き残ってきたからです(その一部が病原体と呼ばれるようになりました)。つまり、「食べ物の豊富な池に魚やカエルが増えた」というのと同じ、「自然の

いろいろな感染症があり、いろいろな病原体がいます。

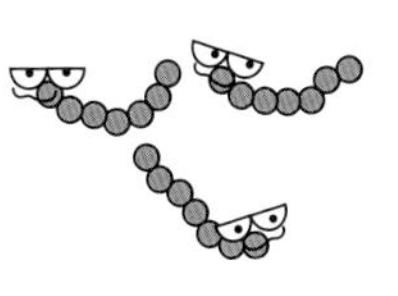

仕組み」の一つであるということです。

こうした自然の仕組みがどうなっているのかを解きあかす学問を自然科学といいます。感染症などの病気を治療する医学も自然科学の一つです。わたしたちの健康を病原体から守るには、自然科学としての医学にたよるのが一番です。

このシリーズでは、医学にもとづいた感染症の基本的な知識を皆さんにお伝えします。知識を得て、もっと興味がわいたら、学校の先生や保護者の方といっしょに、もっとくわしく調べてみてください。感染症をきっかけに、自然の仕組みという、とても大きなものを理解する手がかりがつかめるかもしれません。

『②感染症をふせぐために』について

この本『②感染症をふせぐために』は、シリーズ「知ってふせごう! 身のまわりの感染症」の第2巻です。

わたしたちの体にある「免疫」とはどういう働きなのか、感染症をふせぐためのワクチンとはなにか、感染症をふせぐための方法はワクチンのほかになにがあるのかを説明しています。感染症をふせいで健康な生活を送りましょう。

目次

新型コロナからインフルエンザまで
知ってふせごう！身のまわりの感染症
②感染症をふせぐために

わたしたちといっしょに感染症を学ぼう

このシリーズのほかの巻の構成

1 免疫ってなに?

みなさんの中には、はしか(麻疹)になったことがある人がいると思います。はしかは一度かかると、二度とかかることはありません。これには、わたしたちの体の中にある免疫細胞という細胞が関係しています。

免疫細胞とは、病原体が体の中に入ってきたときに、病原体から体を守るために戦う細胞のことをいいます。大きく分けて「自然免疫」に関係している細胞と、「獲得免疫」に関係している細胞があります。

自然免疫チームに属している細胞たちは、病原体が体内に侵入してきたときに、最初に飛び出して戦います。戦う相手が初めての病原体だろうが、二度目や三度目の病原体だろうが、どんな相手でも戦います。ただし相手によって、戦うときの武器を変えることはできません。そのため自然免疫チームだけだと病原体をやっつけるのに苦労し、病気が発症してしまうことがあります。

ところが、免疫細胞がすごいのはそこからです。わたしたちの体は一度病原体に侵入されると、その病原体のことを記憶します。そして、その病原体がふたたび侵入してきたときには、その病原体と戦うための獲得免疫チームが結成されます。

たとえば一度体の中に入ってきて、大あばれをした麻疹ウイルスが、ふたたび侵入してきたとします。そのときには自然免疫チームの細胞たちといっしょに、獲得免疫チームの細胞たちも戦いに参加し、麻疹ウイルス退治用の武器を使って相手を攻撃します。

この武器を使われてしまうと、麻疹ウイルスに勝ち目はありません。だから、はしかは「一度かかると二度とかかることはない」のです。これを「免疫ができる」といいます。

免疫細胞たちは、まるで悪から地球を守る正義のヒーローのように、病原体からわたしたちの体を守っています。次のページからは、免疫細胞の活躍ぶりを、もう少しくわしく見ていくことにしましょう。

体を守る免疫細胞たち

免疫細胞はほかにもありますが、この本ではおもなものを説明します。

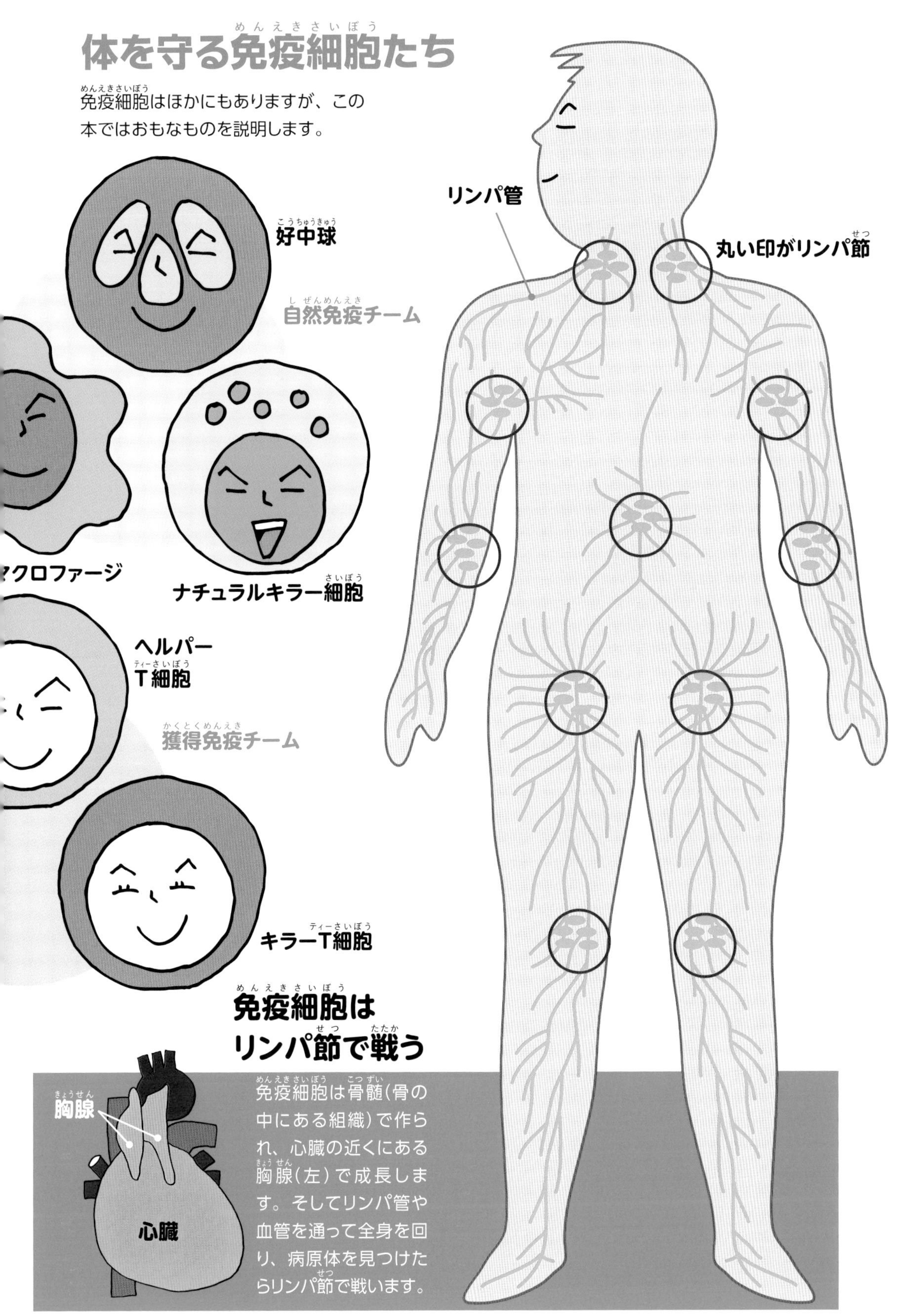

免疫細胞はリンパ節で戦う

免疫細胞は骨髄(骨の中にある組織)で作られ、心臓の近くにある胸腺(左)で成長します。そしてリンパ管や血管を通って全身を回り、病原体を見つけたらリンパ節で戦います。

自然免疫チームの細胞たち

まずは自然免疫チームの細胞たちの活躍ぶりから紹介しましょう。登場するのは、好中球、マクロファージ、ナチュラルキラー細胞(NK細胞)の3つの細胞です。

好中球とマクロファージは、病原体が侵入していないか、いつも体じゅうの毛細血管の中をパトロールして回っています。そしてほかの細胞から「病原体が自分を攻撃している。助けてくれ!」というSOSが入ると、まず真っ先に助けに向かうのは好中球です。自分の体を細くして血管のすき間をすりぬけ、現場に急行します。そして病原体を見つけると、なんと食べてしまいます。そのため好中球には、「食細胞」という名前がついています。

マクロファージは、少し遅れて現場に到着します。そして病原体を見つけると、やっぱり食べてしまいます。マクロファージは好中球よりも大きいので、「大食細胞」とも呼ばれています。

またマクロファージは、「こんな病原体が侵入しているぞ」という情報を、獲得免疫チームの一員であるヘルパーT細胞に伝えるという役割も果たしています。獲得免疫チームの細胞たちが、二度目に侵入してきた病原体と戦うことができるのは、マクロファージが正確に情報を伝えてくれるおかげです。

そしてナチュラルキラー細胞の役割は、ウイルスが体に侵入して、細胞を乗っ取ってしまったときに、細胞ごと殺してしまうことです。ウイルスはある細胞を乗っ取ると、そこからほかの細胞にも入りこんでどんどん増殖(増えること)していきます。だから乗っ取られた細胞は、殺す必要があるのです。

パトロールし、病原体を見つけたら食べる!

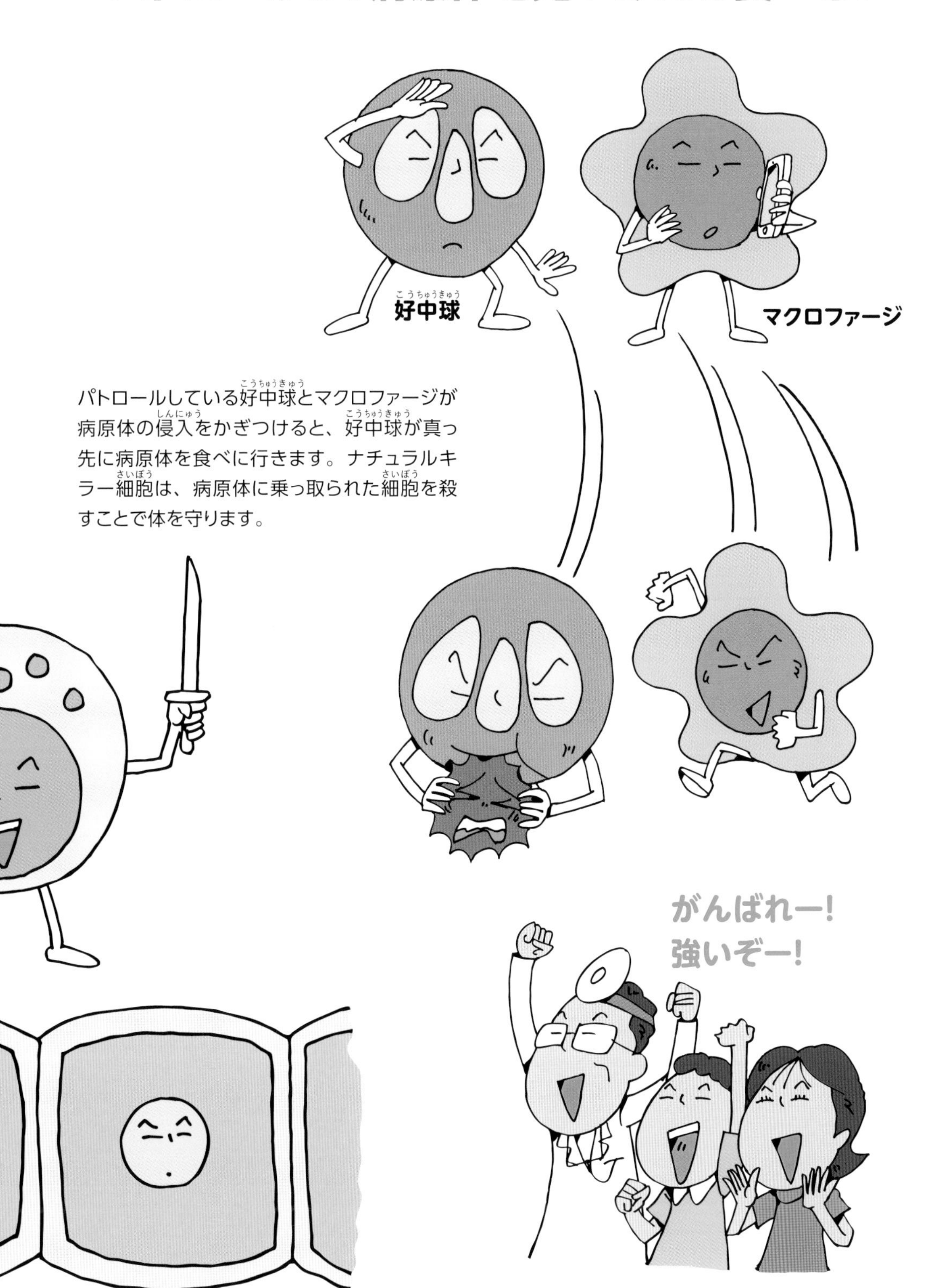

パトロールしている好中球とマクロファージが病原体の侵入をかぎつけると、好中球が真っ先に病原体を食べに行きます。ナチュラルキラー細胞は、病原体に乗っ取られた細胞を殺すことで体を守ります。

第1章 感染症と免疫

3 獲得免疫チームの細胞たち

次に獲得免疫チームの細胞たちの活躍ぶりを紹介します。登場するのは、ヘルパーT細胞、B細胞、キラーT細胞(細胞傷害性T細胞)の3つです。

ヘルパーT細胞は、連絡役のマクロファージから「またあの病原体が侵入してきたぞ」という情報を受けると、B細胞に対して「あの病原体をたおすための抗体を作ってくれ」という指示を出します。するとB細胞は、指示どおりにその病原体向けの抗体をたくさん作り出します(正確には、B細胞が形質細胞に変化して抗体を作ります)。

抗体は、次の項でくわしく説明しますが、病原体を攻撃するためのミサイルのようなものです。B細胞は、たとえばはしかの原因である麻疹ウイルスが体の中に侵入してきた場合、以前に麻疹ウイルスが侵入してきたときの情報にもとづいて、麻疹ウイルス向けの抗体を作ります。同じように、水ぼうそう(水痘)のウイルスが侵入してきたときには水ぼうそう向け、風疹のウイルスが侵入してきたときには風疹向けの抗体を作ります。

またヘルパーT細胞は、キラーT細胞に対して「ふたたびあの病原体がやってきたから、攻撃してくれ」と指示を出します。キラーT細胞の役割は、自然免疫チームのナチュラルキラー細胞と同じく、ウイルスに乗っ取られた細胞を殺すことです。

キラーT細胞は、ヘルパーT細胞から指示を受けると、まずパワーアップのために増殖します。そしてウイルスに乗っ取られている細胞をさがしだし、粒子を発射して細胞を破壊します。

わたしたちの体の中では、知らないうちに免疫細胞と病原体との間でこんな戦いがくりひろげられているのです。自然のすごい仕組みには、おどろくほかありません。

同じ病原体が入ってきても勝手なまねはさせない!

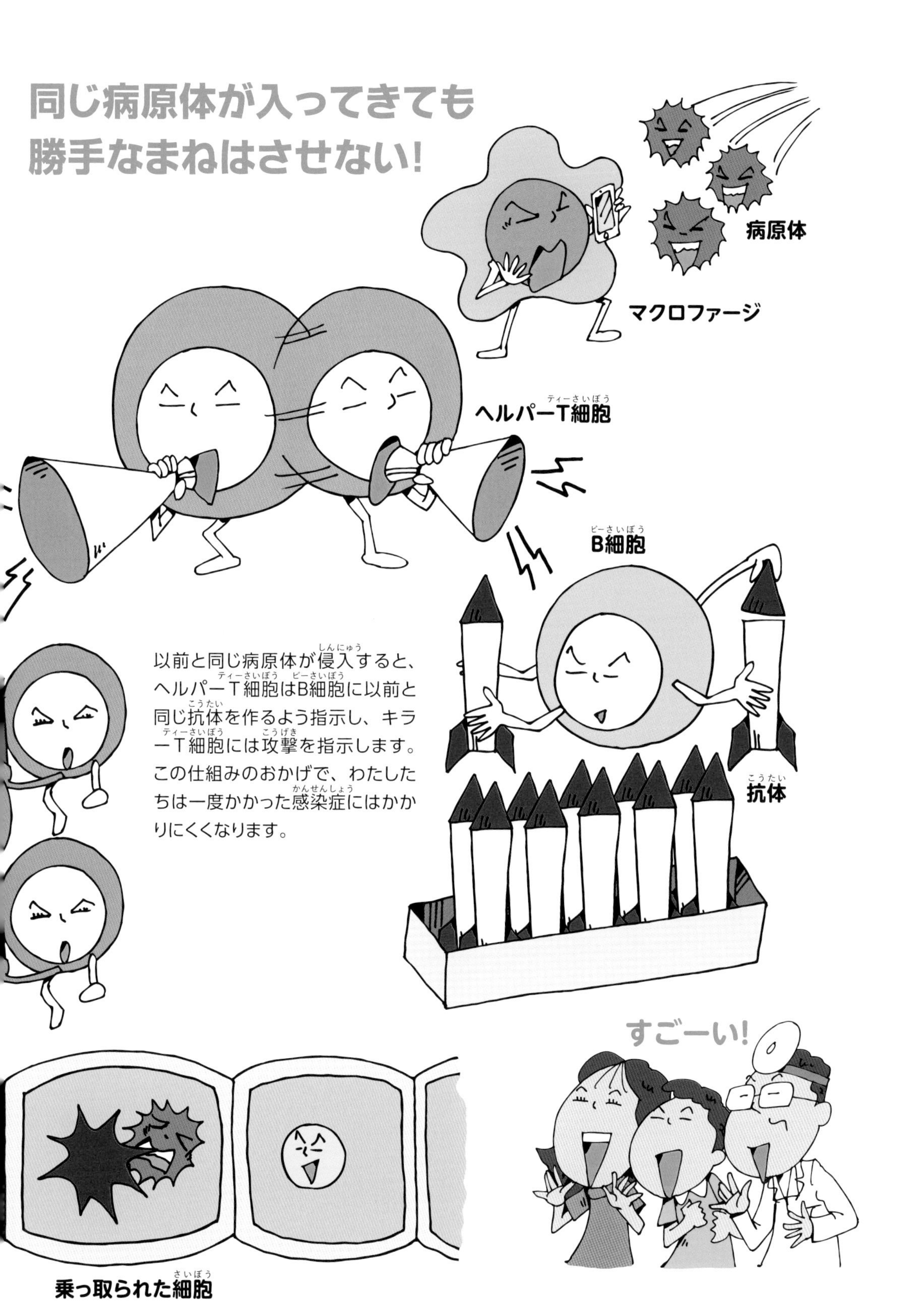

以前と同じ病原体が侵入すると、ヘルパーT細胞はB細胞に以前と同じ抗体を作るよう指示し、キラーT細胞には攻撃を指示します。この仕組みのおかげで、わたしたちは一度かかった感染症にはかかりにくくなります。

4 抗体ってなに?

B細胞が作り出した抗体は、病原体に向かってミサイルのように飛んでいきます。そして病原体にぴたっとくっつきます。その病原体が細菌だろうとウイルスだろうと、ぴたっとくっつくのです。

すると、ぴたっとくっついている状態が、好中球やマクロファージにとっては、「ここに敵の病原体がいるぞ」という目印になります。抗体は、好中球やマクロファージが病原体を見つけてパクッと食べるための手助けをしているわけです。

また、その病原体が細菌であるときには、「ここに敵の細菌がいるぞ」という目印に向かって、補体という物質もかけつけてきます。補体は、細菌の細胞の外側にある細胞膜を攻撃して、細胞膜に穴をあけます。するとその細胞の中身が穴から外へと流れ出して、その細菌は死んでしまいます。抗体は、補体が細菌を見つけて殺しやすいように、やはり手助けをしているわけです。

ただし抗体の役割は、仲間たちの手助けをすることだけではありません。病原体の中でもウイルスは、抗体にぴたっとくっつかれると身動きがとれなくなり、うまく細胞を乗っ取れなくなります。ウイルスは宿主の細胞を乗っ取らないと増殖することができません。抗体はウイルスにぴたっとくっつくことでウイルスの勢いを抑え、それ以上増えないようにしているわけです。

さらに抗体は、細菌が作る毒素を、毒のないものに変えてしまう能力もそなえています。これを無毒化といいます。

病原体に向かって飛んでいくミサイル

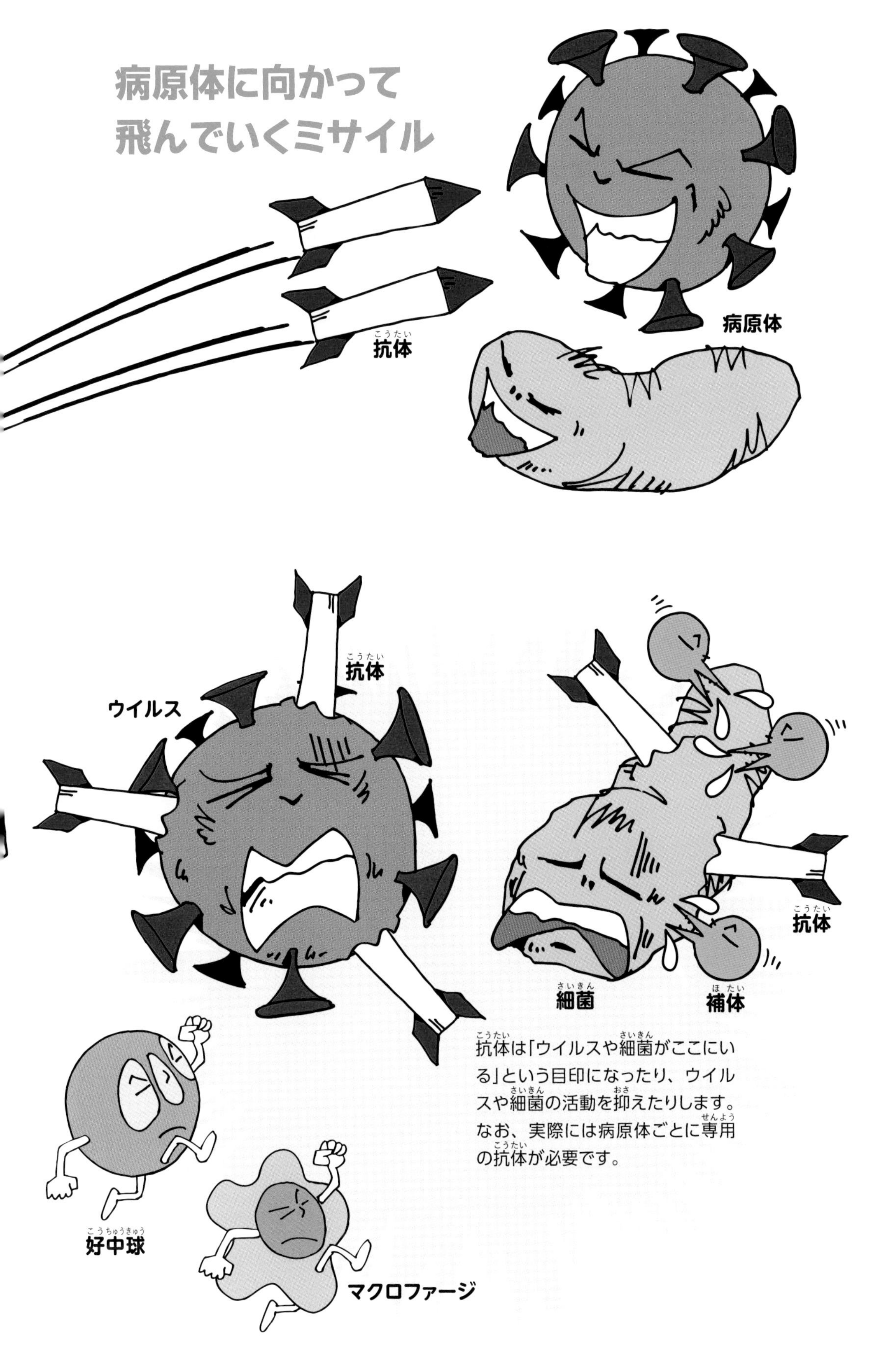

抗体は「ウイルスや細菌がここにいる」という目印になったり、ウイルスや細菌の活動を抑えたりします。なお、実際には病原体ごとに専用の抗体が必要です。

1 ワクチンってなに?

わたしたちの体は一度病原体に侵入されると、その病原体のことを記憶します。そして次に同じ病原体が体の中に入ってきたときには、獲得免疫によって、その病原体を退治します。だから感染症の多くは、一度感染すると二度と感染しません。

この免疫のしくみを利用して作られているのがワクチンです。

ワクチンは、ある病原体の力をうんと弱めて作ります。この弱めたものを注射などで体の中に入れる(接種する)と、力が弱いので体内に入ってきても症状は出ないか、出たとしてもほんの軽いものですみます。一方、体は病原体が入ってきたことを記憶するので、免疫ができます。ですから、そのあとにワクチンではない本物の病原体が侵入してきたときには戦う準備ができていて、病原体を退治することができるのです。つまりワクチンを接種しておけば、その感染症にかかるのをふせぐことが可能になります。

ワクチンには、生ワクチンと不活化ワクチンあります。生ワクチンとは、力を弱めた病原体のこと。効果は抜群ですが、力を弱めたといっても生きた病原体を体の中に入れることになるので、ごくまれに重い症状が出ることがあります。

一方、不活化ワクチンとは、その病原体を殺したり、病原体の一部だけを取り出したりして作ったものです。生きた病原体ではないので、接種しても症状が出ることはありません。でもそのぶん効果はうすくなり、また効果が長続きしなくなります。十分な効果を得るためには、何回かくりかえし接種することになります。生ワクチンと不活化ワクチンのどちららを接種するかは、感染症の種類によってちがってきます。

ワクチンの種類

生ワクチン	不活化ワクチン
BCG	4種混合(ジフテリア、百日咳、破傷風、ポリオ)
ポリオ	2種混合(ジフテリア、破傷風)
麻疹風疹混合(MR)	日本脳炎
麻疹(はしか)	インフルエンザ
風疹	B型肝炎
流行性耳下腺炎(おたふくかぜ)	A・B型肝炎
水痘	狂犬病
黄熱	破傷風トキソイド
ロタウイルス	ほか

病原体を体に入れて免疫ができるようにする

ワクチンを接種することで、わたしたちの体にはその病原体に立ち向かうための武器である抗体が準備されて免疫ができ、感染しなくなります。予防接種はきちんと受けましょう。

ワクチンは万能なの？

みなさんがまだ1歳とか2歳だったころ、きっと受けたはずのワクチンの一つに、水ぼうそう（水痘）に感染することをふせぐための水痘ワクチンがあります。

水痘ワクチンを1回接種すると、重症の水ぼうそうをほぼすべて予防でき、2回接種すると、軽症の水ぼうそうもふくめて発症を予防できると考えられています。ですから、かなり効き目があるワクチンといえます。なお、日本では水痘ワクチンを2回接種する決まりになっています。

ただしインフルエンザに関しては、ウイルスがA型ならソ連型と香港型、B型なら山形型とビクトリア型というふうにタイプがいろいろと分かれており、さらにその中でも細かくタイプが分かれています。そのためワクチンを接種しても、タイプがちがえば効き目はありません。

そこで国では、いろいろな調査をもとに、これから流行りそうなインフルエンザウイルスのタイプを予測します。そしてそのタイプに効くワクチンを用意します。ただし1種類のウイルスだけが流行するとはかぎらないので、いくつかのタイプのワクチンを作り、それらを組み合わせて混合ワクチンというものにしてから、みなさんに接種しています。

インフルエンザの場合、むずかしいのはウイルスのタイプがいろいろとあって、しかもどんどん変化していくことです。同じタイプのウイルスでも、流行が始まったばかりのときと終わりごろでは、変化していることがあります。インフルエンザワクチンを接種しても、インフルエンザになってしまうことがあるのはそのためです。

ワクチンを作るのは大変！

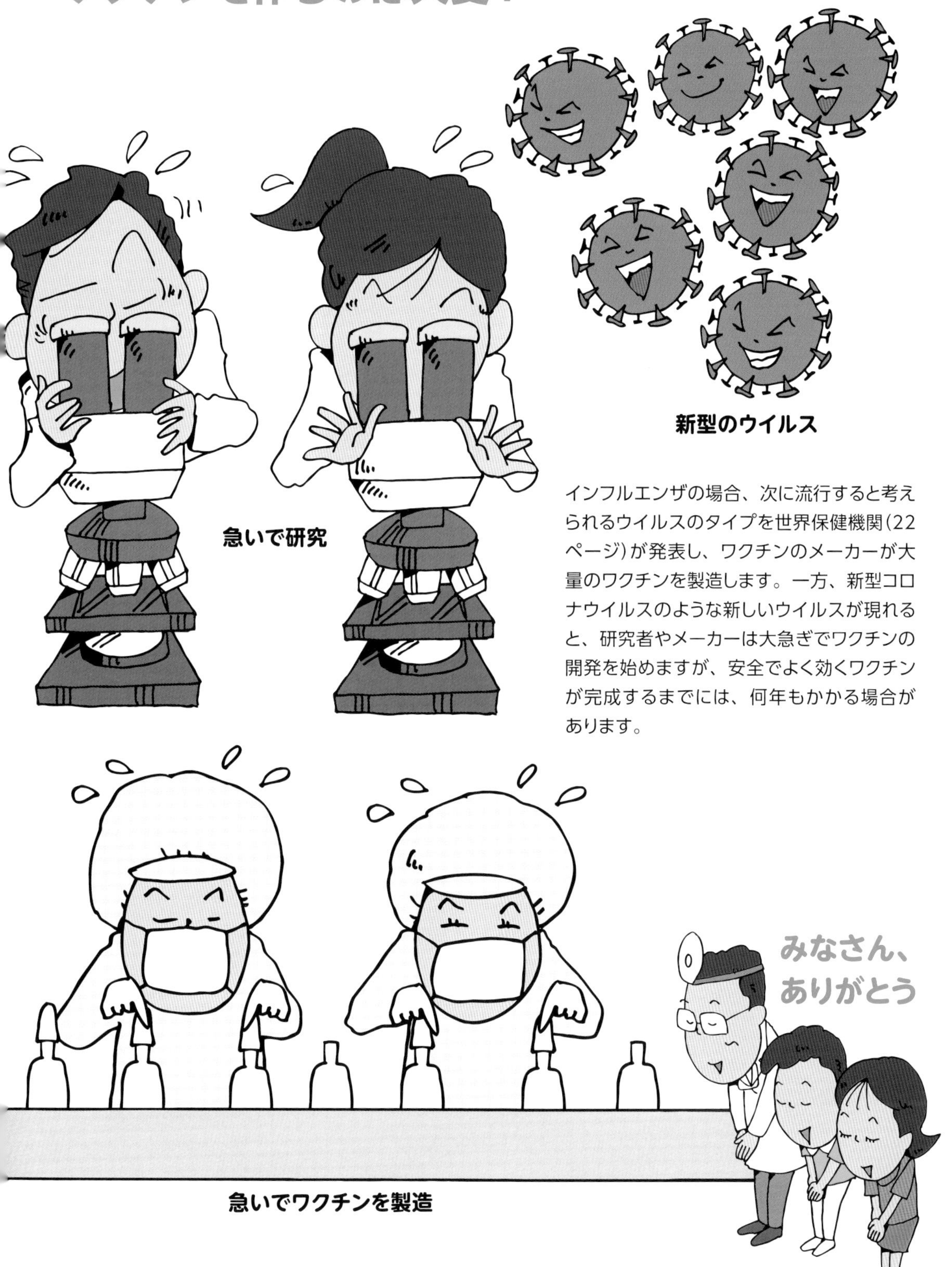
新型のウイルス
急いで研究
急いでワクチンを製造
みなさん、
ありがとう

インフルエンザの場合、次に流行すると考えられるウイルスのタイプを世界保健機関（22ページ）が発表し、ワクチンのメーカーが大量のワクチンを製造します。一方、新型コロナウイルスのような新しいウイルスが現れると、研究者やメーカーは大急ぎでワクチンの開発を始めますが、安全でよく効くワクチンが完成するまでには、何年もかかる場合があります。

予防接種について知りたい

感染症にかからないために、ワクチンを接種することを予防接種といいます。予防接種には、法律にもとづいて受けることが義務づけられている定期接種と、受けるか受けないかを自分で決める任意接種があります。

定期接種には、水痘ワクチンや日本脳炎ワクチン、麻疹・風疹混合ワクチン、B型肝炎ワクチンなどがあります。何歳のときに何回受けなくてはならないかも決められています。接種のときにかかるお金は市区町村が出してくれるので、無料で受けられます。

また任意接種には、インフルエンザワクチン、おたふくかぜワクチン、ロタウイルスワクチンなどがあります。こちらは接種のときにかかるお金は自分ではらわなくてはなりませんが、市区町村によっては、全額または

日本の定期予防接種スケジュール（一部：20歳まで）

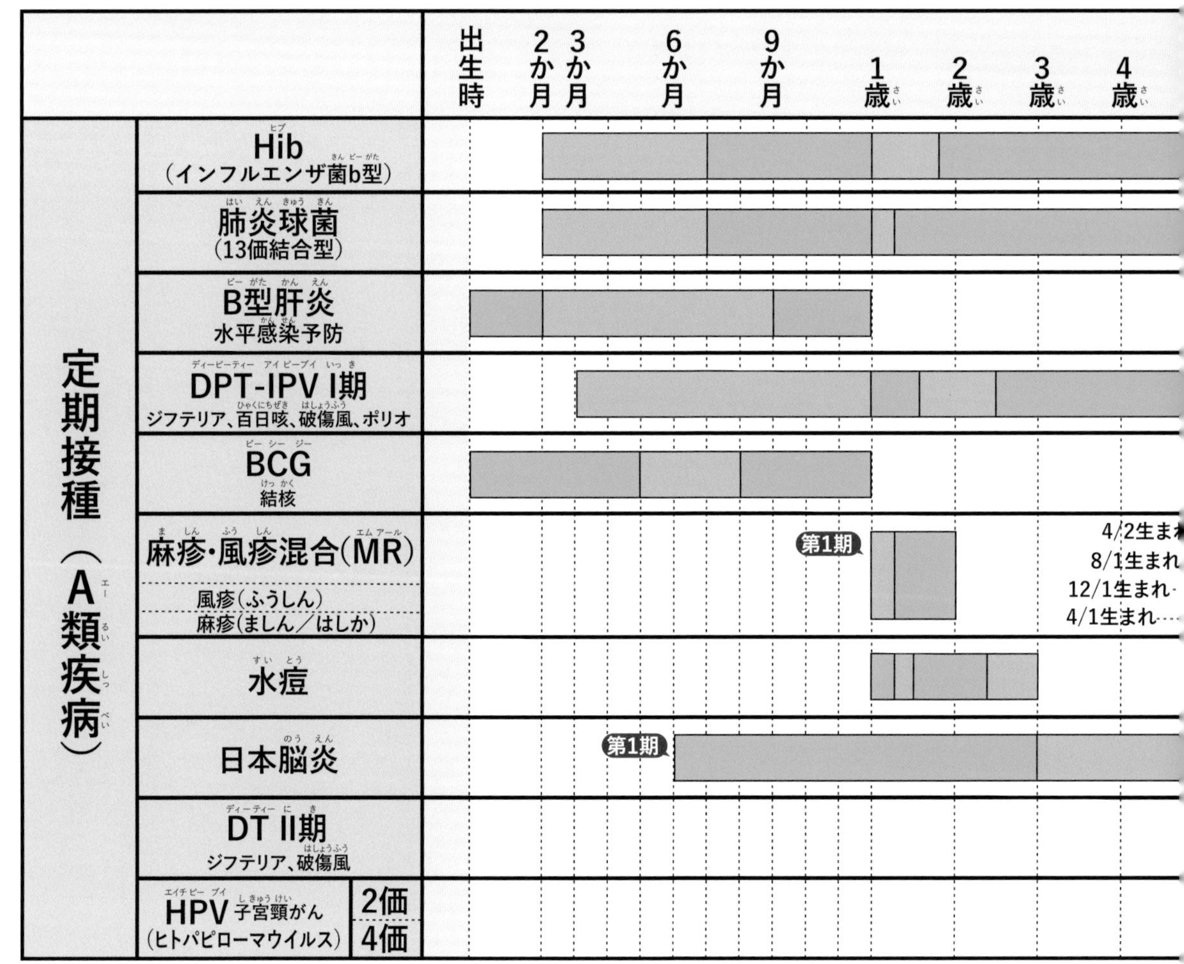

出生時
2か月
3か月
6か月
9か月
1歳
2歳
3歳
4歳
定期接種（A類疾病）
Hib（インフルエンザ菌b型）
肺炎球菌（13価結合型）
B型肝炎 水平感染予防
DPT-IPV I期 ジフテリア、百日咳、破傷風、ポリオ
BCG 結核
麻疹・風疹混合（MR）
風疹（ふうしん）
麻疹（ましん／はしか）
第1期
4/2生まれ
8/1生まれ
12/1生まれ
4/1生まれ
水痘
日本脳炎
第1期
DT II期 ジフテリア、破傷風
HPV 子宮頸がん（ヒトパピローマウイルス）
2価
4価

一部を出してくれるところもあります。

任意接種の中には、海外など特定の地域に行くときに接種がすすめられているものや、義務づけられたりしているものがあります。

たとえば、アフリカや中央アメリカ、南アメリカでは、黄熱という感染症で毎年多くの人が亡くなっています。発症した人の半分が亡くなるというおそろしい病気です。そのため、北アフリカの一部を除くアフリカの国々や、中央・南アメリカの国々に行くときには、黄熱ワクチンの接種が義務づけられています。黄熱ワクチンを接種していることを証明した書類がないと、入国ができない場合もあります。

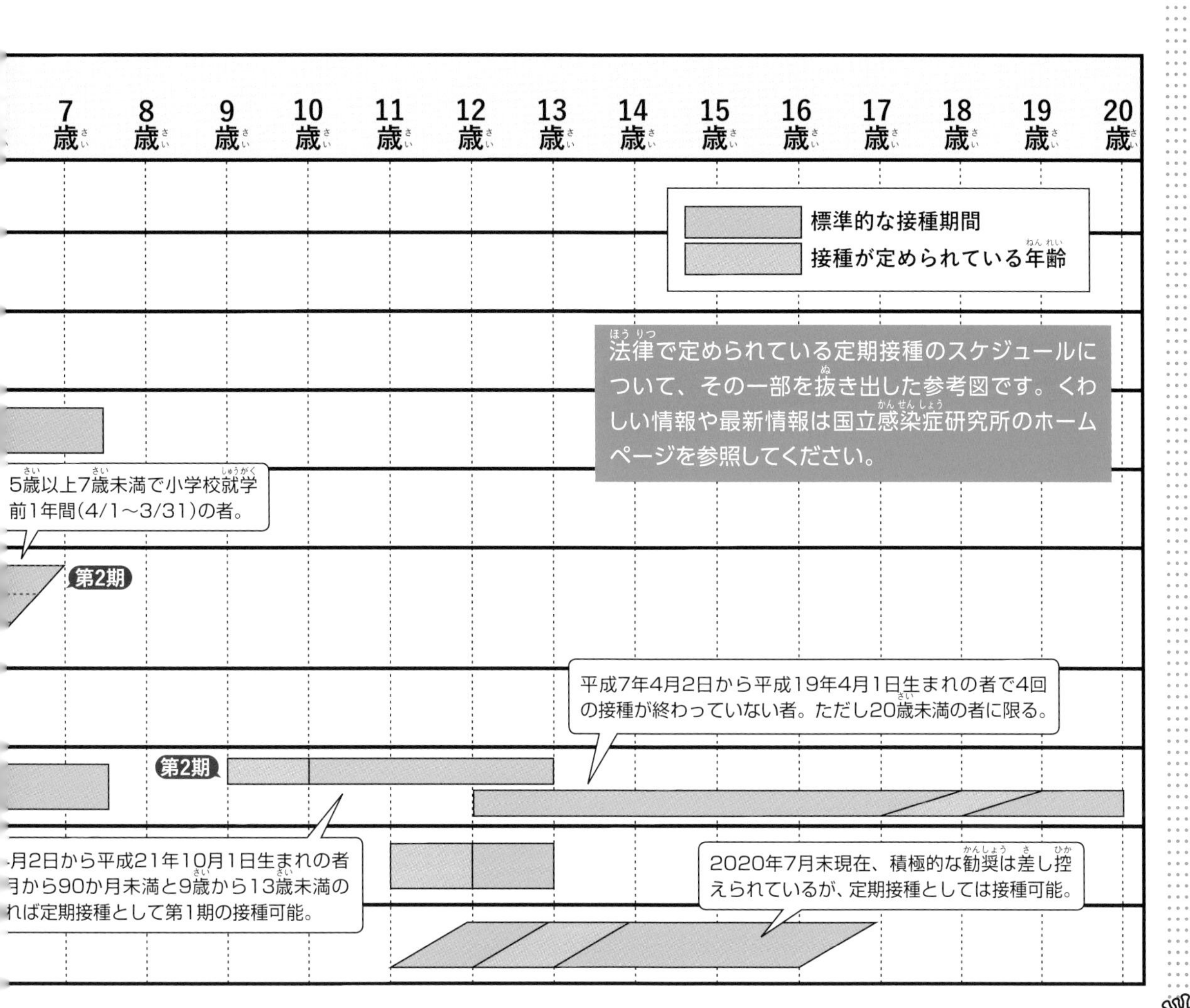

グラフ

電子顕微鏡がとらえた病原体のすがた

ウイルスと細菌は、肉眼では見えない小さい病原体です。その実際のすがたを電子顕微鏡がとらえました。

写真提供：国立感染症研究所（新型コロナウイルス）、広島県立総合技術研究所保健環境センター

ウイルス

最も小さい病原体で、大きさは10〜300ナノメートル程度（1ナノメートルは1ミリの100万分の1）。生物の細胞に入り込んで増殖します。

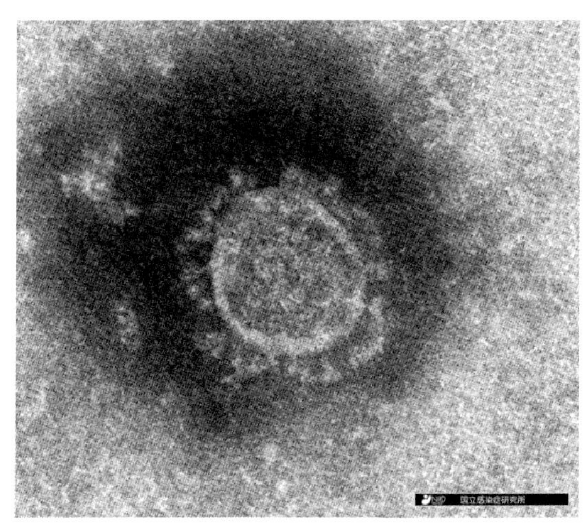

新型コロナウイルス
2019年に人への感染が確認され、2020年に世界的に大流行しました。

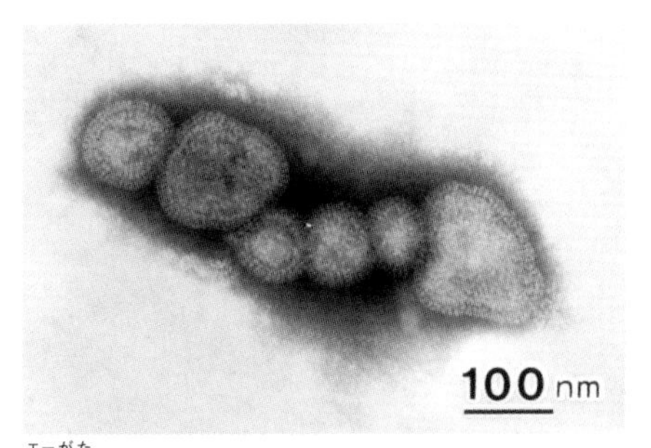

A型インフルエンザウイルス
毎年、冬場になると流行するインフルエンザの代表的な病原体です。

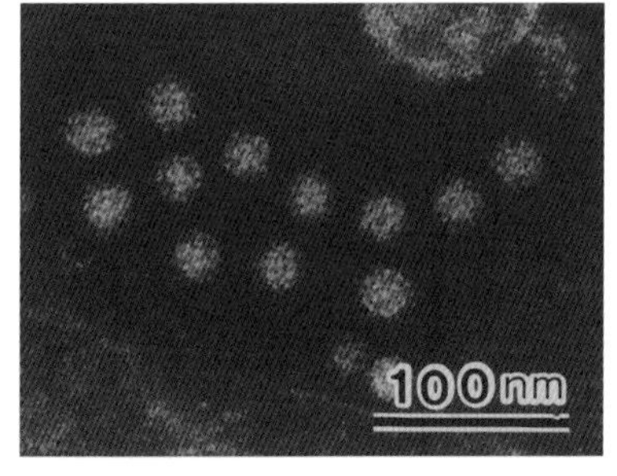

ノロウイルス
重い食中毒（ノロウイルス感染症）の病原体です。秋から冬にかけて流行します。

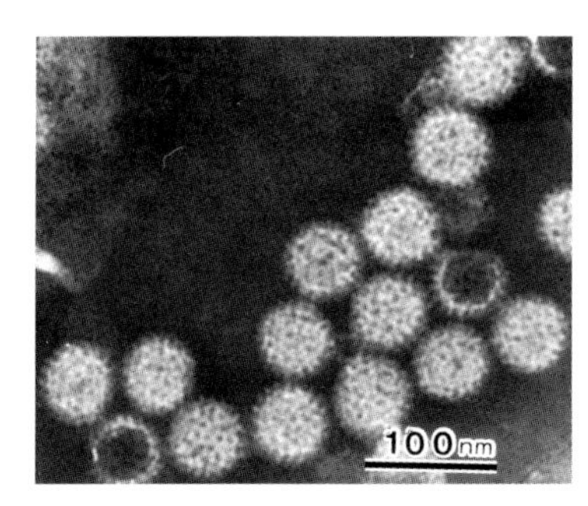

ロタウイルス
乳幼児に感染して食中毒を引き起こします。現在では予防接種が義務づけられています。

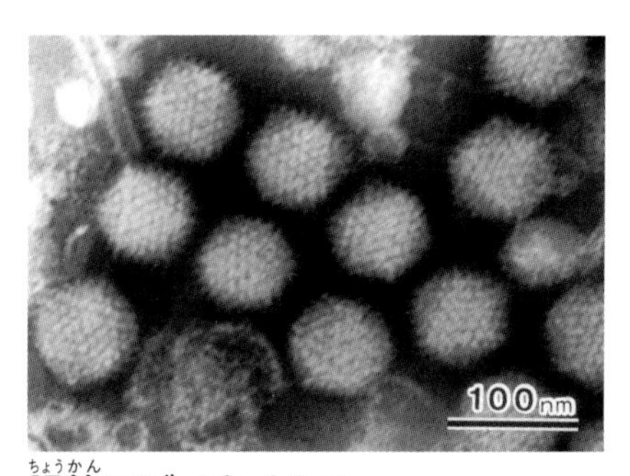

腸管アデノウイルス
感染すると胃腸炎になり、水のような下痢が出ます。乳幼児が多く感染します。

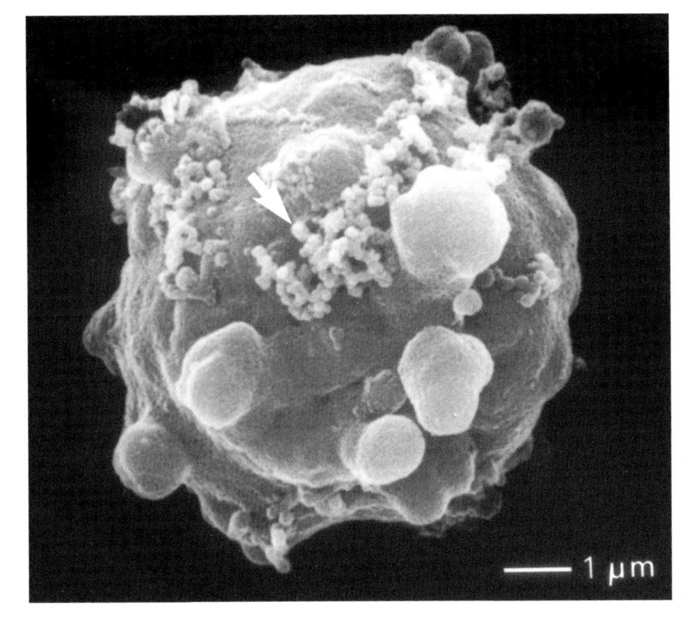

HIV（ヒト免疫不全ウイルス）
エイズ（後天性免疫不全症候群）の病原体です（矢印の先）。人の免疫細胞を殺してしまいます。

細菌

0.5～5マイクロメートル（1マイクロメートルは1ミリの1000分の1）と、ウイルスよりも大きく、光学顕微鏡でも見ることができます。ウイルスとちがって、自ら増殖します。

腸管出血性大腸菌O157
強い毒を出す病原体で、重い食中毒を引き起こします。感染して亡くなる人もいます。

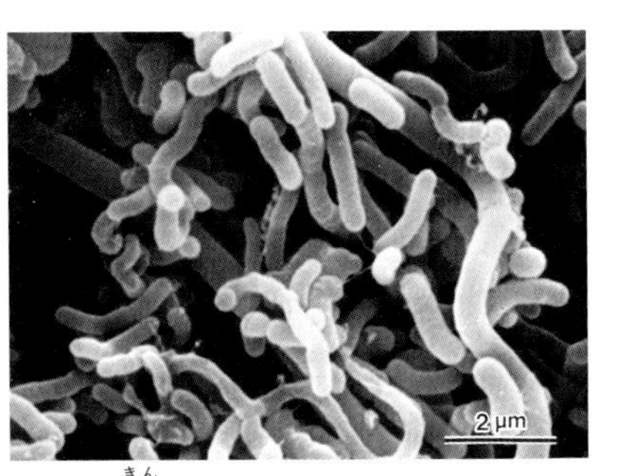

コレラ菌
コレラの病原体です。とても強い毒素を出し、感染した人をひどい脱水状態に追い込みます。

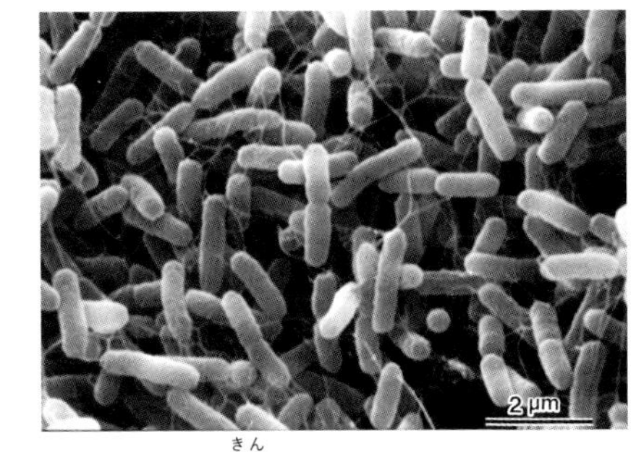

サルモネラ菌
肉や卵などから感染する食中毒の病原体です。水のような下痢を引き起こします。

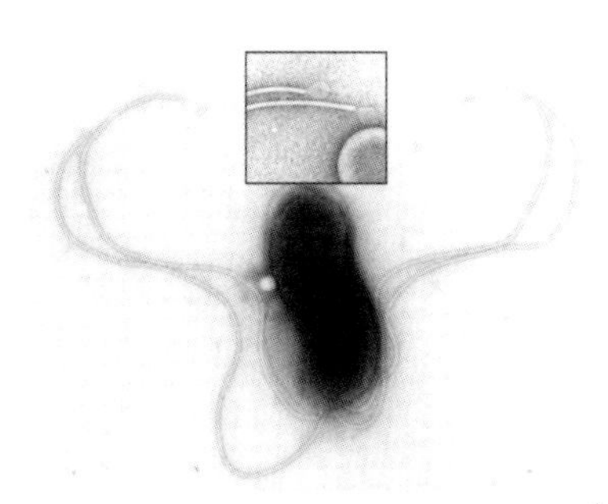

ヘリコバクター・ピロリ（ピロリ菌）
人の胃の中に住みつきます。感染すると胃がんや胃潰瘍などの病気にかかりやすくなります。

第3章 感染症の流行をふせぐ

1 WHOってなに？

感染症は国境を越えて広がっていきます。一つの国だけで感染症の流行をおさえようとしても、それは無理です。

そこで世界では、国連の機関の一つであるWHO（世界保健機関）が中心になって、感染症の予防や、流行したときの対策に取り組んでいます。WHOには194の国と地域が加盟し、2地域が準加盟をしています（2020年3月現在）。もちろん日本も加盟しています。

WHOが目指しているのは、世界中のすべての人々が健康になることです。そのため、薬が足りない国に薬を提供したり、災害が起こった場所で医療活動を行ったりと、さまざまなことをしていますが、その中でも特に力を入れているのが感染症対策です。

WHOでは、世界のどの場所で、どんな感染症が起きているかについての情報を常に集めています。

また加盟・準加盟している国や地域は、「流行すると世界中の人に影響をあたえる感染症が、もしかしたら自分たちのところで発生したかもしれないぞ」というときには、すぐにWHOに報告することが義務づけられています。

WHOの管轄と本部・地域事務局

アメリカ
（アメリカ合衆国
ワシントンD.C

W World
H Health
O Organization

WHOは「World Health Organization（世界保健機関）」の頭文字です。

するとWHOでは情報を集めたうえで、「これは大変だ」と判断したときには、その国や地域に対して、「感染症をこれ以上広げないために、こういう対策をしてください」と指示します。さらに、必要なときには、その感染症に関する専門家や医師、看護師を現地に送るなどの支援もします。またほかの国々や地域にも、その感染症の流行や、対策についての情報を提供します。

こんなふうにWHOを中心にして、世界中の国や地域が協力しながら、感染症の流行をふせごうとしています。

WHOのテドロス事務局長（第8代）

2020年3月現在、WHOには194の国と地域が加盟（2地域が準加盟）。上の地図のように世界を6の管轄に分けて、地域事務局を置いています。本部はスイスのジュネーブにあります。新型コロナウイルス問題ではWHOのテドロス事務局長がニュースなどにしばしば登場しました。

第3章 感染症の流行をふせぐ

2 危険な感染症に備える

ひと口に感染症といっても、ちょっとつらい思いをするぐらいのものから、命にかかわるものまでいろいろとあります。命にかかわる感染症が流行してしまったら大変です。

そこで日本では、危険度によって感染症を1類から5類にまで分けています。このうち1類と2類は、かかるととても危険な感染症です。なかには治療法がまだ見つかっていないものもあります。

そこで1類と2類の感染者が出たときには、感染症指定医療機関に指定されている病院で診療をします。この病院には、感染症専門のお医者さんがいます。その感染症が病院の中でほかの患者さんやお医者さん、看護師さんにうつることがないように、特別な施設や器具を整備するなどの工夫もいろいろとされています。

また1類と2類は、都道府県知事が必要だとみとめれば、患者さんがいやだと言っても、強制的に入院させることができます。3類については、やはり都道府県知事が必要だとみとめれば、その患者さんが仕事をすることを制限できます。職場に行っていろいろな人といっしょに仕事をすると、ほかの人に感染症をうつしてしまう危険性が高いからです。

なお新型インフルエンザは、1類から5類の中にはふくまれていません。けれども新型インフルエンザは、ウイルスが大きく変異してできた新しいインフルエンザであるため、まだだれも免疫を持っておらず、流行すると亡くなる人がたくさん出てしまう心配があります。そこで新型インフルエンザについても、1類や2類と同じ対策をとることができます。

さらに、1類～3類の感染症、新型インフルエンザ以外にも、人々の命にかかわる感染症が出てくることもありえます。そんなときは国がその感染症を「指定感染症」に指定すれば、1類や2類、または3類と同じ対策をとることができます。新型コロナウイルスも指定感染症に指定されました。

おもな感染症の分類

1類	エボラ出血熱　クリミア･コンゴ出血熱　痘そう　南米出血熱　ペスト ほか
2類	急性灰白髄炎　結核　ジフテリア　重症急性呼吸器症候群　中東呼吸器症候群 ほか
3類	コレラ　細菌性赤痢　腸管出血性大腸菌感染症　腸チフス　パラチフス
4類	E型肝炎　ウエストナイル熱　A型肝炎　エキノコックス症　黄熱　オウム病 ほか
5類	アメーバ赤痢　RSウイルス感染症　咽頭結膜熱　インフルエンザ　ウイルス性肝炎(E型･A型を除く) ほか
新型インフルエンザ等感染症	

くわしい表は46ページを参照してください。

第3章 感染症の流行をふせぐ

3 何人がかかっているかチェックする

感染症の流行対策の基本は、感染の状況を正確につかむことです。その感染症にかかっている人が今何人いて、今後はどうなりそうかがわからないと、感染者数の増加に合わせて病院のベッド数を増やしたり、ワクチンを準備したりといった計画が立てられないからです。

日本では前の項目で説明した1類〜4類の感染症にかかっている人が、病院の診察や検査で見つかった場合、病院は保健所に届け出ることが義務づけられています。そして、各地域にある保健所は都道府県などにデータを報告し、都道府県は国にデータを報告することで情報が集められ、日本全体の感染者数がつかめる仕組みになっています。このように、その感染症にかかっている人の数をすべてつかむことを「全数把握」といいます。

5類感染症の場合は、全数把握になっている感染症と、定点把握になっている感染症とがあります。定点把握は、すべての病院ではなく、都道府県などが指定している病院だけが、その感染症にかかっている人を見つけた場合、保健所に届け出ることが義務づけられているというものです。感染者数を正確につかむことはできませんが、だいたいの数を知ることができます。

なお、インフルエンザ(鳥インフルエンザと新型インフルエンザを除く)は5類に指定されている感染症で、小児科約3000か所、内科約2000か所が定点把握のための指定を受けています。ただし全国での患者数が数百人になったときには、定点把握は全数把握に切りかえられます。

全数把握を行うおもな感染症

エボラ出血熱　クリミア・コンゴ出血熱　痘そう　南米出血熱
ペスト　マールブルグ病　ラッサ熱　急性灰白髄炎　結核
ジフテリア　重症急性呼吸器症候群　中東呼吸器症候群
コレラ　細菌性赤痢　腸管出血性大腸菌感染症 ほか

定点把握を行うおもな感染症

RSウイルス感染症　咽頭結膜熱
A群溶血性レンサ球菌咽頭炎　感染性胃腸炎　水痘
手足口病　伝染性紅斑　突発性発しん　ヘルパンギーナ
流行性耳下腺炎　インフルエンザ など

くわしい表は47ページを参照してください。

4 国内に入れさせない

多くの感染症は、病原体が海外から日本に運ばれてきて、それが日本国内に広がることで流行します。ですから大切なのは、できるだけ病原体を日本に入れないようにすることです。国では、病原体が外国から日本に入るのをふせぐことなどを目的に、空港や港に検疫所という施設をもうけています。検疫所は全国に110か所あります。

検疫所では、飛行機などで海外から日本に入ってきた人の中で、熱やせきなどの症状がある人については健康チェックをしています。そして危険度の高い感染症にかかっている人を見つけたときには、隔離といって、病院の中でほかの患者さんとは部屋を分けて入院してもらいます。また感染症にかかっているうたがいのある人や、感染している人といっしょに旅行していた人などに対して、感染のうたがいがなくなるまで、どこにも出歩かないように施設の中でしばらくじっとしてもらうこともあります。

病原体を運んでくるのは人だけではありません。海外から日本にやってきた飛行機や船の中には、蚊やネズミなどの衛生動物がよくまぎれ込んでいます。そこで衛生動物についてはつかまえたうえで、病原体を持っていないか検査をしています。

また国では、ある感染症が海外のどこかの国で流行っているときには、その国に対して、飛行機や船の日本への運航を中止してもらうようにお願いすることもあります。

海外から病原体や衛生動物が国内に入らないよう、検疫所では検疫官という人たちが、旅行者や荷物をチェックします。

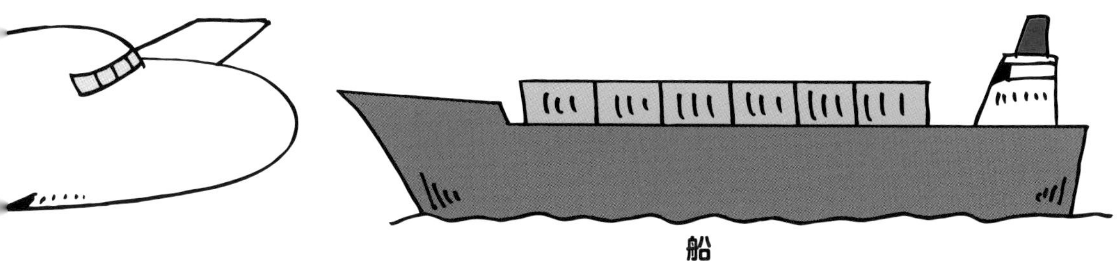

5 それでも流行したときは

2020年、新型コロナウイルスが日本でも流行したとき、国は緊急事態宣言を出しました。これを受けて都道府県知事は、住民に外出の自粛を求めたり、図書館などの文化施設や、デパートなどの商業施設に対して休業を求めたりしました。

図書館やデパートなど、多くの人が利用する施設が開いていて、そこにたくさんの人が集まると、それだけ飛沫感染や接触感染などが起こる危険性が高まります。そこで人々の行動に制限をかけたのです。

これは、新型インフルエンザ等対策特別措置法という法律にもとづいておこなわれたものです。この法律は、新型インフルエンザが流行したときや、新感染症といって、これまでまったく知られていなかった新しい感染症の中で、国民に重大な影響をおよぼすおそれがあるものが流行したとき、これ以上広がるのをふせぐために、国や自治体としてできることを定めたものです。国は新型コロナウイルスについては「新感染症ではない」と判断しましたが、特別に法律を改正して、新型コロナウイルスにもこの法律を用いることができるようにしました。

法律では、外出の自粛や施設の休業を求めることができる以外にも、たとえば医療施設が足りなくなったときには、土地や建物を持っている人がみとめてくれなくても、その土地や建物を使って医療施設を新たに開くことなどがゆるされています。

なぜ、まず法律から決めるのかというと、国が好きなように国民の行動を制限することは、自由を重んじる現代社会では好ましくないことだからです。とはいえ、健康や命が感染症におびやかされると、自由な生活そのものができなくなってしまいます。そこで、自由を守るためにも「感染症については、ここまでなら(いつまでなら)国が指示してもよい」という範囲を先に法律で定めてから、さまざまな政策を行う決まりになっているのです。

出歩かずに、落ち着いて

新型コロナウイルス感染症の場合は、飛沫感染をふせぐことが重要です。そのために多くの国が「STAY HOME（ステイ・ホーム／家にいよう）」を合言葉に、どうしても必要な場合をのぞいて外出をひかえるよう人々にたのみました。

なるべく出歩かない

医療の力を重症者に集中させる

なるべく出歩かずに感染の広がりを抑えることで、感染して重症になった人に医療の力を集中させることができます。医師や看護師の人数にも、病院や治療機器の数にも限りがあることを忘れてはなりません。

STAY HOME
（家にいよう）

第4章 感染症を予防しよう

1 感染症をふせぐために大事なこと

感染症にはかかるとつらい病気や、命に関わる病気もあります。そうした病気にかからないために、なにが大切なのでしょうか。

感染症への対策は、感染経路を知っておくと見えてきます。このシリーズの第1巻で説明しているように、感染症は飛沫からうつったり、空気を伝ってうつったり、物にふれることでうつったり、食べ物からうつったりします。ですから、こうした感染症がうつりそうな場面で、うつらないように気をつけておけばよいのです。

たとえば飛沫が飛んできたり、空気の中を病原体がうようよしていたりしても、マスクをしていれば、ある程度はブロックできます。それでも病原体が口の中に入ってきたときには、うがいをすれば洗い流せます。また病原体がついていそうな物にふれたときには、手洗いをすることが感染の予防につながります。つまり、病原体が人の体の中に入り込もうとするときに、その「じゃまをする」ということです。

また、病原体が増えにくい環境づくりも大事です。たとえば食中毒の原因となる病原性大腸菌は、暑くてじめじめした場所が大好きです。そんな場所に食品を置きっぱなしにしたら、病原性大腸菌はすぐに増殖します。けれども病原体が好まない環境にしておけば、病原体は寄りつかないため、体の中にも入ってこなくなります。

次のページからは、感染を予防するための具体的な方法を紹介していきます。

気をつけていればふせげる

感染症をふせぐために、屋外から屋内に入ったら手洗いとうがいを心がけ、飛沫が飛び散らないようできるだけマスクをしましょう。

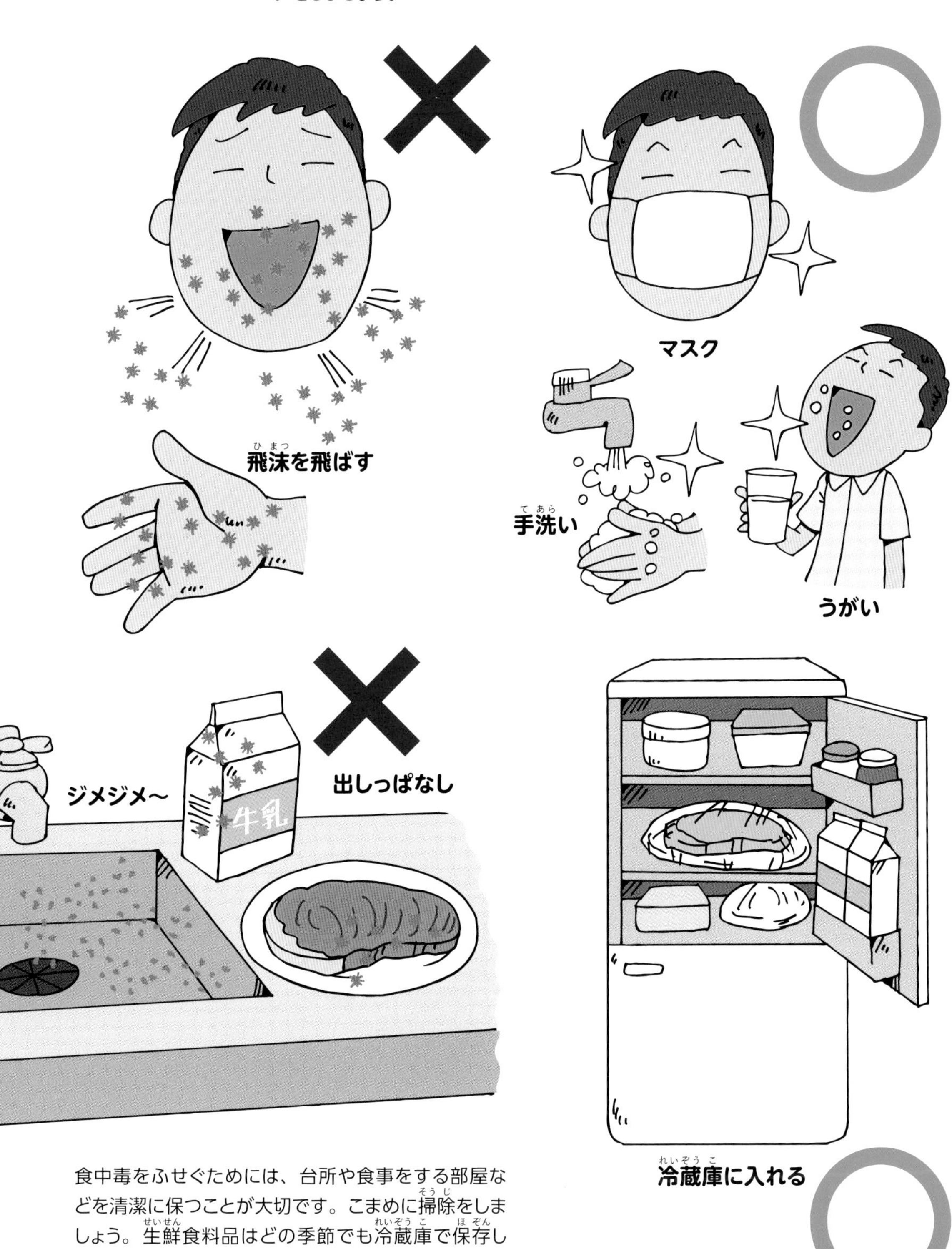

食中毒をふせぐためには、台所や食事をする部屋などを清潔に保つことが大切です。こまめに掃除をしましょう。生鮮食料品はどの季節でも冷蔵庫で保存しましょう。

第4章 感染症を予防しよう

2 手を洗おう

わたしたちは、物にさわるときには手を使います。ですから手は、体の中でも病原体が一番つきやすい場所です。そして病原体がついた手で、口や鼻、目をさわったり、食べ物をつまんで食べたりすれば、そこから病原体が体の中に入り込みます。

特に外から帰ってきたときや、トイレに行ったあとは、たくさんの病原体が手についている可能性が高いので、手洗いが大切になります。また、ごはんやおやつを食べる前にも手洗いは欠かせません。

手洗いのときには、石けんやハンドソープを使って洗うのがよいでしょう。

ある研究では、まず流水(水道の蛇口をひねって水を流した状態)だけで15秒間手洗いをしたところ、約1000万個ついていたウイルスが約1万個に減りました。これだけでも大きな効果があります。

次にハンドソープを使いながら10〜30秒間もみ洗いしたあとに、流水で15秒間すすいだところ、ウイルスの数は数百個に。さらにハンドソープを使いながら10秒間もみ洗いしたあとに、流水で10秒間そそぐことを2回くりかえしたところ、たったの数個にまで減っていたといいます。

手洗いの仕方にはコツがあります。イラストを参考にしながら、みなさんもぜひやってみてください。

正しい洗い方を心がけよう

手をしっかり洗えば、手についたウイルスなどを大きく減らすことができます。

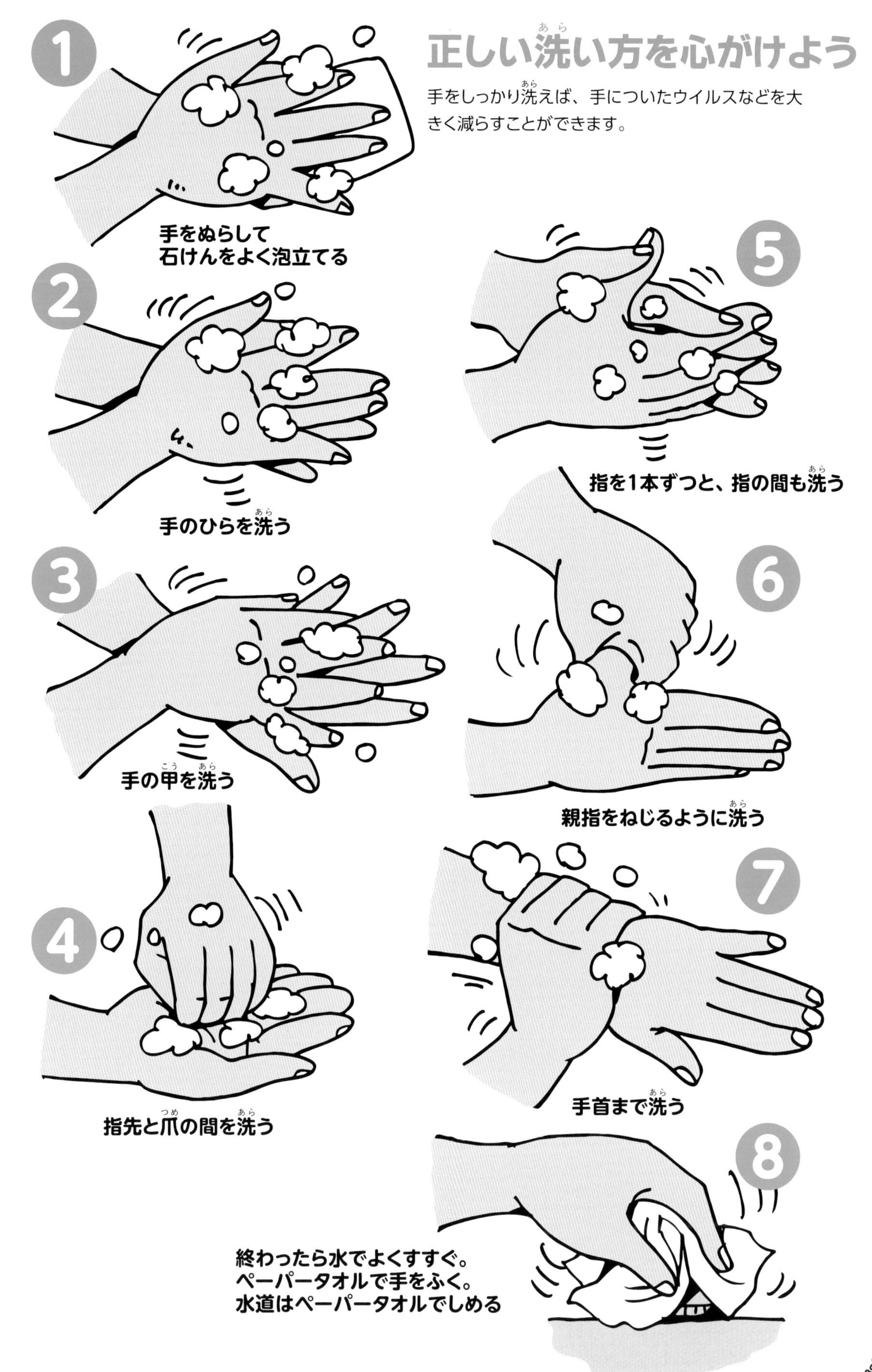

1
手をぬらして
石けんをよく泡立てる
2
手のひらを洗う
3
手の甲を洗う
4
指先と爪の間を洗う
5
指を1本ずつと、指の間も洗う
6
親指をねじるように洗う
7
手首まで洗う
8
終わったら水でよくすすぐ。
ペーパータオルで手をふく。
水道はペーパータオルでしめる

佐賀新聞の記事を参考に作成

3 うがいをしよう

病原体が口や鼻の中から気道を通って肺へと入ろうとすると、わたしたちの体は「これ以上、病原体を奥に入らせることはしないぞ」と、必死になって戦います。

のどから気道にかけての部分には、粘膜という組織があります。粘膜からは、粘液というねばねばの液体が出ています。病原体が気道に入ってくると、この粘液が病原体をからめとります。そして気道のところに生えている繊毛という小さな毛が、粘液にからめとられて身動きがとれなくなっている病原体を、のどのほうへと押しかえします。粘液と繊毛のチームワークで、病原体が体の奥ふかくに入っていくのをブロックするのです。

ここで「うがい」の出番です。粘液と繊毛によって、のどのところまで押しかえされている病原体を、うがいによって完全に外へと出してしまうのです。

街に出かけて人ごみの中を歩いたり、学校や塾に行って友達や先生と接したりすると、病原体が口や鼻から気道へと入ってくる危険性が高くなります。外から家に帰ってきたときには、必ずうがいをすることをおすすめします。

そのときは口の中をブクブクとゆすぐだけではなくて、顔を天井のほうに向けて、ガラガラと音を立てながら、のどの奥までゆすぐようにしてください。

うがいの目的はウイルスなどを洗い流すことなので、うがい薬を使わなくても効果があります。

正しいうがいを心がけよう

「ブクブクブク」で口の中をきれいにする

うがいは2段階に分けて行いましょう。まずは口の中をきれいにします。水を口にふくみ、何秒間かブクブクしてから吐き出します。

「ガラガラガラ」でのどの奥をきれいにする

次にのどの奥をきれいにします。水を口にふくみ、上を向いてガラガラします。時間は15秒くらいを目安に。吐き出したら、もう1回か2回、同じことを行います。

第4章 感染症を予防しよう

4 マスクをしよう

かぜやインフルエンザになっている人が、せきやくしゃみをすると、たくさんのウイルスがふくまれた飛沫が口から飛び出していきます。この、だれかの口から飛び出した飛沫が自分の口や鼻の中に入ると、自分もかぜやインフルエンザにかかる危険性が高まります。これを飛沫感染といいます。そこで、かぜやインフルエンザが流行っているときにはマスクを着けるようにしておくと、飛沫が口や鼻の中に入るのをふせぐことができます。

マスクは布マスク(ガーゼマスク)よりも、不織布マスクのほうが予防効果があるとされています。不織布マスクは繊維の「目」が細かく、飛沫を通しにくいからです。

飛沫は時間がたつと、水分が蒸発して飛沫核というさらに小さなつぶになって、空気中をただよいます。この飛沫核がふくまれた空気を吸い込んで感染してしまうことを、空気感染といいます。

飛沫核はものすごく小さいので、残念ながらマスクの繊維の目の間を通り抜けてしまいます。ですからマスクでは、空気感染をふせぐことはできません。

ただし、かぜやインフルエンザをふくむ多くの感染症は、空気感染よりも飛沫感染によってうつることのほうが多いため、マスクを着けることで飛沫感染をふせぐだけでも、感染症にかかる危険性は下がると考えられます。

マスクには種類がある

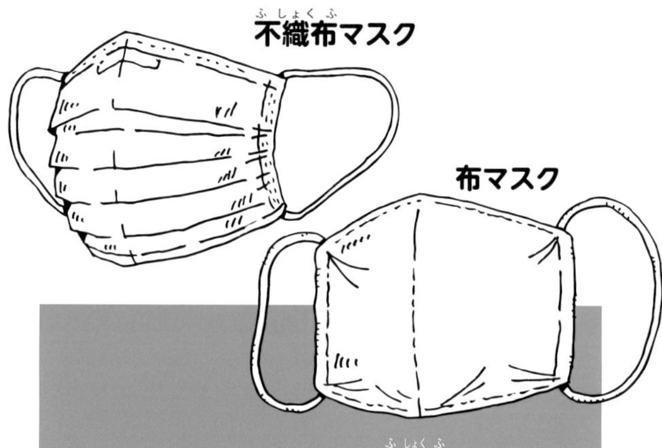

布マスク(ガーゼマスク)よりも不織布マスクのほうが飛沫を通しにくいとされています。不織布マスクは薬局などで売っています。使い捨てのものが多いようです。

外出するときはマスクをしよう

マスクは正しく着けよう

[注意点] 暑い夏場にマスクをして外を長く歩くなどすると、体調をくずす場合があります。休憩をはさむようにしましょう。

正しい着け方

ゴムを持って耳にかける

1

上下に広げる

2

①マスクを顔にあて、左右のゴムを耳にかけます。②段がついている不織布マスクの場合、上下に引っ張って鼻とあごを確実におおいます。③ノーズクリップのあるマスクの場合、指で押さえて鼻の形に沿わせます。

これはダメ!

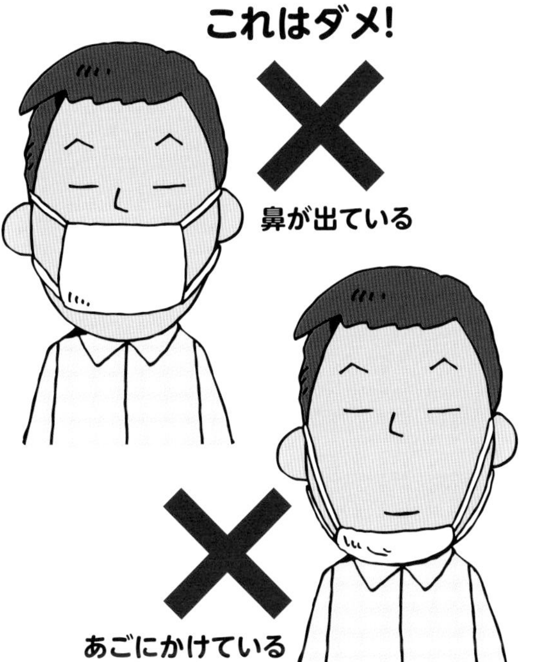

ワークアップHPなどを参考に作成

正しい外し方

指でゴムを引いて耳から外します。使用したマスクの表面は汚れているので、さわらないようにしましょう。

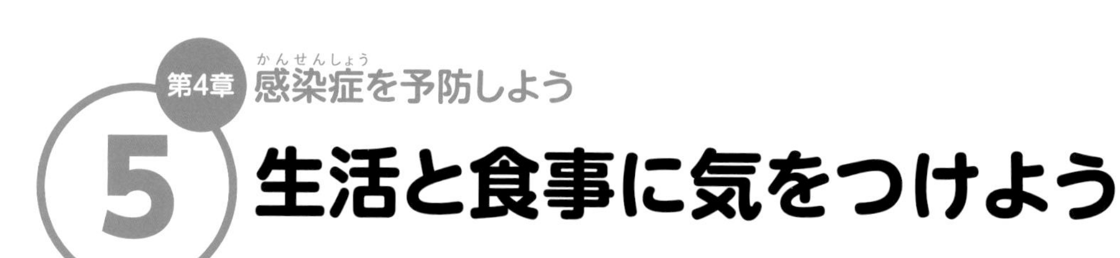

5 生活と食事に気をつけよう

病原体に感染したとき、発症しやすい人と発症しにくい人がいます。発症しにくいのは、体が健康で元気な人(抵抗力のある人)です。

体が健康で元気だと、免疫細胞たちも活発に働くことができます。病原体が体の中に入ってきても、免疫細胞たちが戦いに勝利しやすくなります。

健康で元気な体を保つには、規則正しい生活(早寝早起きなど)と、バランスのとれた食事がカギとなります。夜ふかしをしたりして生活のリズムがくずれると、体も弱ってしまいます。また、かたよった食事をしていると、必要な栄養を十分に取ることができないため、やはり体が弱ってしまいます。

規則正しい生活とバランスのとれた食事は、感染症予防の基本中の基本です。

よく食べて
よく寝よう
規則正しい毎日を!
早寝早起きを心がけ、食事では十分な栄養をとることが、免疫の力を落とさずに健康に暮らすためのポイントです。

6 温度と湿度に気をつけよう

インフルエンザウイルスや、食中毒の原因となるノロウイルスは、気温や湿度が高い環境ではすぐに死んでしまいますが、気温が低くて乾燥している環境では長く生きます。インフルエンザやノロウイルス感染症が冬に流行するのはそのためです。

冬場にこうした感染症をふせぐためには、まず部屋の中をあたたかくすることが大切。そして加湿器を使ったり、ぬらしたタオルを部屋に干したりして、部屋を乾燥させないようにすることです。インフルエンザウイルスの場合、部屋の温度を20度以上、湿度を50〜60%にすると、ウイルスのほとんどが死んでしまいます。けれども部屋の温度を20度にしても、湿度が40%未満だと、ウイルスは半分以上が生き残ります。

また、部屋をずっと閉めっぱなしにしていると、ウイルスが空気中にたまりやすくなります。ときどき窓を開けて換気をしましょう。

冬場は部屋をあたたかくして、乾燥させないよう注意。

加湿器を利用しよう

7 住まいを清潔にしよう

蚊やダニ、ノミ、シラミ、ハエ、ネズミなどは衛生動物といって、いろいろな病原体をわたしたちの近くや体の中に運んできます。たとえば日本脳炎は、日本脳炎ウイルスを持っているブタの血を蚊が吸って、次にその蚊が人を刺すことで、ウイルスが人の体の中に入り込みます。

衛生動物が原因で感染症にかからないようにするためには、こまめに掃除をして住まいを清潔にたもち、衛生動物が住みにくい環境を作ることが大事です。

たとえば、蚊は水のあるところに卵を産んで繁殖します。みなさんが住んでいる家の庭やマンションのベランダに、雨水がたまっているような場所はないでしょうか。蚊はそうした場所が大好きです。雨水や古い水は、ためずにすぐに捨てることで、蚊の繁殖をふせぐことができます。

衛生動物を入れさせない

8 食べ物に気をつけよう

食中毒は、病原体のついた食べ物を口にすることでかかる感染症です。食中毒をふせぐためには、①食べ物に病原体をつけないこと、②食べ物についた病原体をそれ以上増やさないこと、③食べ物についた病原体を殺してしまうこと、の3つが大切です。

まず食べ物に病原体をつけないためには、料理の前にしっかりと手洗いをすることや、包丁やまな板を洗うことが大事です。手や包丁、まな板についていた病原体が、食べ物にうつってしまうことがあるからです。

次に病原体を増やさないためには、肉や魚などの生ものは冷蔵庫に入れておくことが効果的です。ノロウイルスを除いて、食中毒を引き起こす多くの病原体は寒いところが苦手で、冷蔵庫や冷凍室の中だと増殖が遅くなったり、止まったりするからです。

また、食べ物についた病原体を殺すには、調理のときによく火を通すことです。75度以上の温度で、1分間は加熱してください。

冷蔵庫に入れる
食中毒をふせごう
ハンバーグなどの肉料理に中まで火を通すには、電子レンジでの調理も効果的です。
台所は清潔にね
包丁とまな板も洗う

まわりの人に感染症をうつさない

「感染症にかからない」ことと同じぐらい大切なのが、「感染症をまわりの人にうつさない」ことです。

かぜやインフルエンザの場合、その多くは飛沫感染によって相手にうつります。ですから、せきやくしゃみが出るときにはマスクをして、飛沫が外へと飛び散るのをふせぐことがなにより大事です。

マスクをしていないときには、ティッシュペーパーで口をおおってから、せきやくしゃみをします。使ったティッシュペーパーはポケットやカバンの中に入れずに、すぐにゴミ箱に捨てます。

ティッシュペーパーをポケットやカバンから出す前に、せきやくしゃみが出てしまいそうなときには、手ではなく、服のそで口やうでの部分で口をおおうようにします。手のひらでおおうと飛沫が手につくことになり、その手でドアノブや手すりなどをさわると、病原体がそれらの物につき、接触感染の原因になるからです。もし手を使ってしまったときには、必ずすぐに手洗いをします。

せきやくしゃみをするときに、人にうつさないように気をつけることを「せきエチケット」といいます。感染症を広げないためにとても大切なことなので、外出するときはマスクやティッシュペーパーを忘れずに持つ習慣をつけましょう。

でも一番大切なのは、せきやくしゃみ、熱が出始めて「あれ? 体の調子がおかしいぞ?」と思ったときには、無理をせずに学校を休み、病院に行くことです。友達に会う前にしっかり治すことで、感染症の広がりをふせぐことができます。

ファ・ファ・ファ……

ファックション!(セーフ!)

「せきエチケット」を覚えよう

口をまったくおおわずにせきやくしゃみをするのも、手のひらでおおうのも、飛沫を回りに広げてしまうという点では同じことです。

せきやくしゃみはティッシュペーパーや服のそで口やうでの部分などでおおうようにしましょう。かぜをひいたかなと思ったらマスクをする習慣をつけることも大切です。

10 家族が感染したときは?

家族が感染症にかかり、病院に入院するのではなく家で休んでいるときには、ほかの家族に感染症がうつらないようにいろいろと気をつけることがあります。

まず部屋の中の空気中には、病原体がうようよしていることが考えられます。空気感染をしないように、1日に数回は窓を開けて換気をするようにしましょう。家族が休んでいる部屋に入るときには、自分も必ずマスクをつけるようにします。

またトイレや台所、おふろなどの家の中のいろいろな場所にも、病原体がついている可能性があります。アルコールや次亜塩素酸ナトリウムという物質には病原体を殺す効果があるので、これらの物質が入った消毒液を使って、こまめに消毒をするとよいでしょう。

感染症にかかった家族が、鼻をかむために使ったティッシュペーパーは、ビニール袋に入れ、口をしばってから捨てます。また洗濯は、感染した家族と感染していない家族の服を別に洗うようにします。

もし家族が吐いてしまったときには、窓を開け、顔にはマスク、両手にはビニール手袋をつけてから、吐いたもののかたづけをします。吐いたものがかわく前にペーパータオルできれいにふきとり、ふきとり終わったペーパータオルはビニール袋の中に入れます。吐いたところは消毒液で消毒します。そして使ったマスクやビニール手袋も、ビニール袋の中に入れてから、口をしばって捨てます。最後は手洗いも忘れないようにしてください。

あとは家族が安心して休めるように、静かな環境を作ってあげます。部屋の環境や食事については、お医者さんも指示をしてくれるはずなので、その説明をよく聞き、指示にしたがいましょう。

市販の消毒液は病原体に合わせて選ぼう

薬局などでいろいろな消毒液が売られていますが、おもな成分はアルコールと次亜塩素酸ナトリウムの2種類です。病原体によって効果にちがいがあるため、お医者さんや薬剤師さんに相談するとよいでしょう。

家の中でもマスクをしよう

換気をしよう

感染した家族の寝ている部屋はたまに換気をしましょう。部屋に入るときはマスクを着けて。

トイレとおふろを清潔に

トイレやおふろをよく掃除し、その病原体に合った消毒液を使って消毒しましょう。

汚物はペーパータオルで

感染した家族が吐いてしまったものをふくときは、使い捨てのペーパータオルを使います。ふき終わったら消毒しておきましょう。

感染症法(感染症の予防及び感染症の患者に対する医療に関する法律)では、危険度によって感染症を5つに分類しています。1類が最も危険度の高い感染症です。また感染症罹患者の把握には、全数を正確に知る「全数把握」と、おおよその数を知る「定点把握」があります。

参考資料 感染症法における感染症の分類

分類	感染症
1類	エボラ出血熱
	クリミア・コンゴ出血熱
	痘そう
	南米出血熱
	ペスト
	マールブルグ病
	ラッサ熱
2類	急性灰白髄炎
	結核
	ジフテリア
	重症急性呼吸器症候群(病原体がコロナウイルス属SARSコロナウイルスであるものに限る)
	中東呼吸器症候群(病原体がベータコロナウイルス属MERSコロナウイルスであるものに限る)
	鳥インフルエンザ(H5N1)
	鳥インフルエンザ(H7N9)
3類	コレラ
	細菌性赤痢
	腸管出血性大腸菌感染症
	腸チフス
	パラチフス
4類	E型肝炎
	ウエストナイル熱
	A型肝炎
	エキノコックス症
	黄熱
	オウム病
	オムスク出血熱
	回帰熱
	キャサヌル森林病
	Q熱
	狂犬病
	コクシジオイデス症
	サル痘
	ジカウイルス感染症
	重症熱性血小板減少症候群(病原体がフレボウイルス属SFTSウイルスであるものに限る)
	腎症候性出血熱
	西部ウマ脳炎
	ダニ媒介脳炎
	炭疽
	チクングニア熱
	つつが虫病
	デング熱
	東部ウマ脳炎
	鳥インフルエンザ(鳥インフルエンザ(H5N1及びH7N9)を除く)
	ニパウイルス感染症
	日本紅斑熱
	日本脳炎
	ハンタウイルス肺症候群
	Bウイルス病
	鼻疽
	ブルセラ症
	ベネズエラウマ脳炎
	ヘンドラウイルス感染症
	発しんチフス
	ボツリヌス症
	マラリア
	野兎病
	ライム病
	リッサウイルス感染症
	リフトバレー熱
	類鼻疽
	レジオネラ症
	レプトスピラ症
	ロッキー山紅斑熱
5類	アメーバ赤痢
	RSウイルス感染症
	咽頭結膜熱
	インフルエンザ(鳥インフルエンザ及び新型インフルエンザ等感染症を除く)
	ウイルス性肝炎(E型肝炎及びA型肝炎を除く)
	A群溶血性レンサ球菌咽頭炎
	カルバペネム耐性腸内細菌科細菌感染症
	感染性胃腸炎
	急性出血性結膜炎
	急性弛緩性麻痺
	急性脳炎(ウエストナイル脳炎、西部ウマ脳炎、ダニ媒介脳炎、東部ウマ脳炎、日本脳炎、ベネズエラウマ脳炎及びリフトバレー熱を除く)
	クラミジア肺炎(オウム病を除く)
	クリプトスポリジウム症
	クロイツフェルト・ヤコブ病
	劇症型溶血性レンサ球菌感染症
	後天性免疫不全症候群
	細菌性髄膜炎(侵襲性インフルエンザ菌感染症、侵襲性髄膜炎菌感染症及び侵襲性肺炎球菌感染症を除く)
	ジアルジア症
	侵襲性インフルエンザ菌感染症
	侵襲性髄膜炎菌感染症
	侵襲性肺炎球菌感染症
	水痘
	性器クラミジア感染症
	性器ヘルペスウイルス感染症
	尖圭コンジローマ
	先天性風しん症候群
	手足口病
	伝染性紅斑
	突発性発しん
	梅毒
	播種性クリプトコックス症
	破傷風
	バンコマイシン耐性黄色ブドウ球菌感染症
	バンコマイシン耐性腸球菌感染症
	百日咳
	風しん
	ペニシリン耐性肺炎球菌感染症
	ヘルパンギーナ
	マイコプラズマ肺炎
	麻しん
	無菌性髄膜炎
	メチシリン耐性黄色ブドウ球菌感染症
	薬剤耐性アシネトバクター感染症
	薬剤耐性緑膿菌感染症
	流行性角結膜炎
	流行性耳下腺炎
	淋菌感染症
新型インフルエンザ等感染症	

このほかに、指定感染症(既知の感染症で重大な影響のあるもの)と新感染症(未知の感染症で重大な影響のあるもの)があります。

全数把握を行う感染症

1類感染症
エボラ出血熱
クリミア・コンゴ出血熱
痘そう
南米出血熱
ペスト
マールブルグ病
ラッサ熱

2類感染症
急性灰白髄炎
結核
ジフテリア
重症急性呼吸器症候群(病原体がコロナウイルス属SARSコロナウイルスであるものに限る)
中東呼吸器症候群(病原体がベータコロナウイルス属MERSコロナウイルスであるものに限る)
鳥インフルエンザ(H5N1)
鳥インフルエンザ(H 7N9)

3類感染症
コレラ
細菌性赤痢
腸管出血性大腸菌感染症
腸チフス
パラチフス

4類感染症
E型肝炎
ウエストナイル熱
A型肝炎
エキノコックス症
黄熱
オウム病
オムスク出血熱
回帰熱
キャサヌル森林病
Q熱
狂犬病
コクシジオイデス症
サル痘
ジカウイルス感染症
重症熱性血小板減少症候群(病原体がフレボウイルス属SFTSウイルスであるものに限る)
腎症候性出血熱
西部ウマ脳炎
ダニ媒介脳炎
炭疽
チクングニア熱
つつが虫病
デング熱
東部ウマ脳炎
鳥インフルエンザ(鳥インフルエンザ(H5N1及びH7N9)を除く)
ニパウイルス感染症
日本紅斑熱
日本脳炎
ハンタウイルス肺症候群
Bウイルス病
鼻疽
ブルセラ症
ベネズエラウマ脳炎
ヘンドラウイルス感染症
発しんチフス
ボツリヌス症
マラリア
野兎病
ライム病
リッサウイルス感染症
リフトバレー熱
類鼻疽
レジオネラ症
レプトスピラ症
ロッキー山紅斑熱

5類感染症の一部
アメーバ赤痢
ウイルス性肝炎(E型肝炎及びA型肝炎を除く)
カルバペネム耐性腸内細菌科細菌感染症
急性弛緩性麻痺(急性灰白髄炎を除く)
急性脳炎(ウエストナイル脳炎、西部ウマ脳炎、ダニ媒介脳炎、東部ウマ脳炎、日本脳炎、ベネズエラウマ脳炎及びリフトバレー熱を除く)
クリプトスポリジウム症
クロイツフェルト・ヤコブ病
劇症型溶血性レンサ球菌感染症
後天性免疫不全症候群
ジアルジア症
侵襲性インフルエンザ菌感染症
侵襲性髄膜炎菌感染症
侵襲性肺炎球菌感染症
水痘(入院例に限る)
先天性風しん症候群
梅毒
播種性クリプトコックス症
破傷風
バンコマイシン耐性黄色ブドウ球菌感染症
バンコマイシン耐性腸球菌感染症
百日咳
風しん
麻しん
薬剤耐性アシネトバクター感染症

指定感染症
新型コロナウイルス感染症(病原体がベータコロナウイルス属のコロナウイルス(令和二年一月に中華人民共和国から世界保健機関に対して、人に伝染する能力を有することが新たに報告されたものに限る)であるものに限る)

定点把握を行う感染症

5類感染症の一部

小児科定点医療機関(全国約3,000カ所の小児科医療機関)が届出するもの
RSウイルス感染症
咽頭結膜熱
A群溶血性レンサ球菌咽頭炎
感染性胃腸炎
水痘
手足口病
伝染性紅斑
突発性発しん
ヘルパンギーナ
流行性耳下腺炎

インフルエンザ定点医療機関(全国約5,000カ所の内科・小児科医療機関)、及び基幹定点医療機関(全国約500カ所の病床数300以上の内科・外科医療機関)が届出するもの
インフルエンザ(鳥インフルエンザ及び新型インフルエンザ等感染症を除く)

眼科定点医療機関(全国約700カ所の眼科医療機関)が届出するもの
急性出血性結膜炎
流行性角結膜炎

性感染症定点医療機関(全国約1,000カ所の産婦人科等医療機関)が届出するもの
性器クラミジア感染症
性器ヘルペスウイルス感染症
尖圭コンジローマ
淋菌感染症

基幹定点医療機関(全国約500カ所の病床数300以上の医療機関)が届出するもの
感染性胃腸炎(病原体がロタウイルスであるものに限る)
クラミジア肺炎(オウム病を除く)
細菌性髄膜炎(髄膜炎菌、肺炎球菌、インフルエンザ菌を原因として同定された場合を除く)
マイコプラズマ肺炎
無菌性髄膜炎
ペニシリン耐性肺炎球菌感染症
メチシリン耐性黄色ブドウ球菌感染症
薬剤耐性緑膿菌感染症

疑似症定点医療機関(全国約700カ所の集中治療を行う医療機関等)が届出するもの
法第14条第1項に規定する厚生労働省令で定める疑似症

厚生労働省ホームページより

[参考資料]

■書籍
荒島康友著『ペット溺愛が生む病気』(講談社ブルーバックス)
池上彰、増田ユリヤ著『感染症対人類の世界史』(ポプラ新書)
石弘之著『感染症の世界史』(角川ソフィア文庫)
岡田晴恵著、きしらまゆこ絵『おしえて! インフルエンザのひみつ』(ポプラ社)
岡田晴恵監修、いとうみつるイラスト『感染症キャラクター図鑑』(日本図書センター)
岡田晴恵著『人類VS感染症』(岩波ジュニア文庫)
岡田晴恵著『どうする!? 新型コロナ』(岩波ブックレット)
岡部信彦著『かぜとインフルエンザ』(少年写真新聞社)
河岡義裕、今井正樹監修
『猛威をふるう「ウイルス・感染症」にどう立ち向かうのか』(ミネルヴァ書房)
北里英郎、原知矢、中村正樹著『ウイルス・細菌の図鑑』(技術評論社)
北元憲利著『のぞいてみようウイルス・細菌・真菌図鑑1
小さくてふしぎな ウイルスのひみつ』(ミネルヴァ書房)
北元憲利著『のぞいてみようウイルス・細菌・真菌図鑑2
善玉も悪玉もいる 細菌のはたらき』(ミネルヴァ書房)
北元憲利著『のぞいてみようウイルス・細菌・真菌図鑑3
キノコやカビのなかま 真菌のふしぎ』(ミネルヴァ書房)
斉藤勝司著、目黒寄生虫館監修『寄生虫の奇妙な世界』(誠文堂新光社)
左巻健男監修『身近にあふれる「微生物」が3時間でわかる本』(明日香出版社)
神野正史監修『感染症と世界史』(宝島社)
竹田美文監修『身近な感染症 こわい感染症』(日東書院本社)
竹田美文著『よみがえる感染症』(岩波書店)
田爪正氣、築地真実著『ウイルスの手帳』(研成社)
トニー・ハート著、中込治訳『恐怖の病原体図鑑』(西村書店)
中原英臣、佐川峻著『感染するとはどういうことか』(講談社ブルーバックス)

■論文
北本哲之「プリオン病ってどんなもの?」(『まなびの杜』2004年夏号 №28)
田口文広、松山州徳「コロナウイルスの細胞侵入機構」(ウイルス 第59巻 第2号 2009)

■webページ
AMR臨床リファレンスセンター
エイチ・エー・ビー研究機構
NHK
MSDマニュアル
大塚製薬
岡山県
帯広畜産大学
小野薬品
神奈川県衛生研究所
環境省
近畿大学病院
原生動物園
厚生労働省
厚生労働省検疫所
国際連合広報センター
国立がん研究センターがん情報サービス
国立感染症研究所
国立感染症研究所感染症情報センター
佐賀新聞LiVE
シオノギ製薬
政府広報オンライン
全日本民医連
第一三共ヘルスケア
大幸薬品
中外製薬
腸内細菌学会
東京新聞
東京都感染症情報センター
東京都健康安全研究センター
東京都福祉保健局
東京都防災ホームページ
ドクターズファイル
日経BP NIKKEI STYLE
日本医師会
日本歯科医師会
日本小児科学会
日本WHO協会
日本BD
日本薬学会
日本臨床歯周病学会
農林水産省
バイエル薬品
はじめよう! やってみよう! 口腔ケア
BIKEN
久光製薬
広島県
富士フイルム インフルラボ
丸石製薬 感染対策コンシェルジュ
マルホ
三重県感染症情報センター
メディカルトリビューン
ヤクルト中央研究所
読売新聞社 ヨミドクター
ライオン
Leprosy.jp
ワークアップ

新型コロナからインフルエンザまで
知ってふせごう! 身のまわりの感染症
②感染症をふせぐために

2020年11月10日　初版第1刷発行

監　修　者　近藤慎太郎
編 集 協 力　石川光則(株式会社ヒトリシャ)/長谷川敦
イ ラ ス ト　田中斉
ブックデザイン　松橋徹デザイン事務所
編 集 担 当　熊谷満
発　行　者　木内洋育
発　行　所　株式会社旬報社
〒162-0041 東京都新宿区早稲田鶴巻町544 中川ビル4F
TEL 03-5579-8973
FAX 03-5579-8975
http://www.junposha.com/
印　刷　所　シナノ印刷株式会社
製　本　所　株式会社ハッコー製本

ISBN978-4-8451-1656-0 NDC490

監修者プロフィール

近藤慎太郎(こんどう・しんたろう)

1972年、東京生まれ。医学博士。北海道大学医学部、東京大学医学部医学系大学院卒。日赤医療センター、東京大学医学部付属病院、山王メディカルセンター、クリントエグゼクリニック院長などを経て、現在、近藤しんたろうクリニック院長。内科医としてこれまで多くの感染症を診察し、企業における感染症対策にも従事している。市民に正しい医療情報と知識を持ってもらうために、講演やメディアを通じての啓蒙活動にも力を入れている。著書『ほんとは怖い健康診断のC・D判定』(日経BP)ほか多数。